SRA
Leamos
español

Grade K
Lecturas
estudiantiles

SRA

A Division of The McGraw·Hill Companies

Columbus, Ohio

SRA/McGraw-Hill

A Division of The **McGraw·Hill** *Companies*

Send all inquiries to:
SRA/McGraw-Hill
250 Old Wilson Bridge Road
Suite 310
Worthington, OH 43085

ISBN 0-02-683587-3
1 2 3 4 5 6 7 8 9 RRD 04 03 02 01 00 99

SRA
Leamos español

Lecturas estudiantiles

Lecturas estudiantiles
Contenidos

Mi gato

A mi gato Victor le gusta estar
arriba del sofá verde.

Inéz Valdez

ilustrado por Deborah Colvin Borgo

A mi mamá no le gusta ver a mi gato arriba del sofá. ¡Salta, Victor! ¡Corre, Victor!

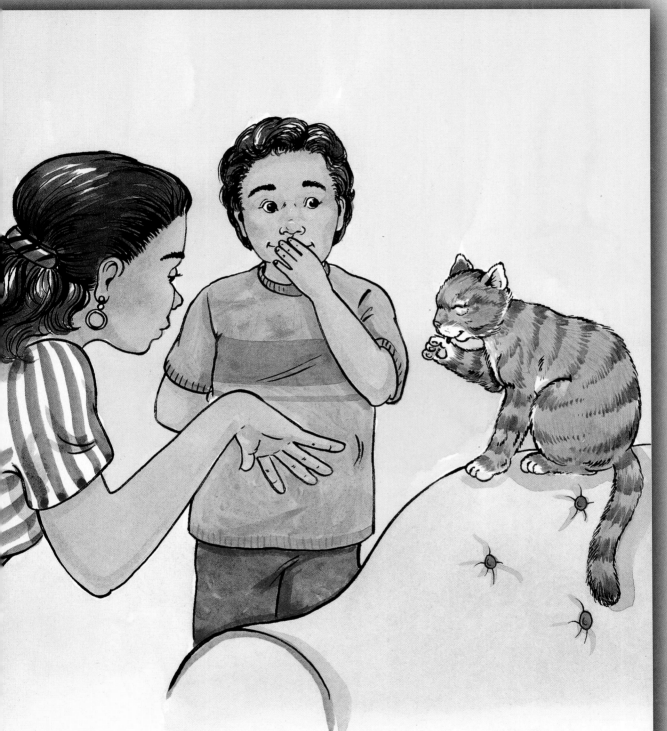

¡Sal del sofá, Victor! ¡Dile algo a Victor!
Victor no contesta.

Al final, Victor salta
del sofá. Saluda a mamá
con su cola y nos vamos.

Victor es lindo, vivo, sano y no es malo.
Su único mal es Victor no contesta a mamá.

Lo digo yo, ¡como Víctor no hay dos!

Danny

Cada verano, vamos al mar.
Nado, pero mi amigo Danny no nada nada.

Milagros Alonso
ilustrado por Gary Undercuffler

13

Cada tarde, vamos a tomar el té.
Tomo, pero Danny no toma nada.

Cada salida, vamos a caminar.
Camino, pero mi amigo Danny
no camina nada.

Si vamos a oír música, Danny no
va a venir.
Si vamos a pasear con el perro,
Danny no va a salir.

Nunca van a oír a Danny.
Nunca van a ver a Danny.

¡Sólo yo veo a Danny!

Personas favoritas

Mi papá es mi persona favorita.

Isabel González
ilustrado por Gary Undercuffler

Si vamos a pescar, mi papá pesca.
Si vamos al mar, mi papá nada.

Si vamos a oír música, mi papá canta.
Si vamos al mercado, mi papá vende.

Si vamos a pintar, mi papá pinta bien.
Si vamos a comer, mi papá come por dos.

Si vamos al tenis, mi papá gana.
Si vamos a pasar el río, mi papá sólo salta.

La verdad es, mi papá es mi
persona favorita.

Mili

Mili vive en lo alto de una loma.

Isabel González
ilustrado por Len Epstein

El tío de Mili vive en el norte,
en un piso enorme.

Este verano, va a venir el tío de
Mili, Pepe, con su papá.
El tío Pepe va a venir con regalos.

La mamá y el papá de Mili van a pintar
las paredes para la visita de tío Pepe.

Mili invita a sus amigos a
una fiesta para tío Pepe.

Mili va a ponerse un vestido verde.

La Carta

¡Hola, Mamá! ¿Cómo estás?
A esta hora, vamos a nadar.

Isabel González
ilustrado por Kersti Frigell

El mar es hondo y está helado.
No vamos a nadar en lo hondo.

El hotel es hermoso.
Hay tenis, barcos de velas y hasta helado.

La parte más linda es la entrada, con rosas.
Mamá, mi falda verde no vino en la maleta.

Mañana vamos a saludar
a un amigo de papá.
Vive a una hora del hotel.

Nos vamos a vestir para salir.
Papá y mi hermano te saludan, Mamá.

Me gusta, no me gusta

Me gusta el helado de fruta.
Me gusta el olor de las rosas.

Milagros Alonso
ilustrado por Olivia Cole

Me gustan el mar y el río.
Me gustan las lomas y los terrenos lisos.

Me gusta el olor del humo de la barbacoa.

Pero no me gustan las personas malas.
Ni oír música ruidoso, ni comer fruta verde.

Nunca me gusta estar en filas largas.

A mí me gustan mamá, papá, mi perro,
mi gato, y, a veces, mi hermano.

Pinturas de animales

Esta mañana vimos a los animales.
—De verdad, el león es el líder. ¿Te gusta?
—Sí, de verdad es el líder de todos.

Inés Valdes
ilustrado por Meryl Henderson   43

—Y el oso, ¿te gusta?
—Me gusta verlo si se da un baño helado.

—¿Te gusta el mono?
—Sí, es listo, cariñoso y saluda.

—¿Te gusta la lora?
—Sí, esta lora con moño vive
en las montañas de la isla.

—¿Y te gusta el burrito?
—Menos, es lento y camina solo.

—Pero me gustan la rana
verde y el pato moreno.
¡Vamos a pintar más animales!

Año con año

Mañana, Luis va a tener dos años.
Es mi hermano menor.

Isabel Gonzáles
ilustrado por Meryl Henderson

Mi mamá y mi papá van a poner la mesa.
Van a poner un mantel lindo.

Van a venir niños, niñas, señoras,
señoritas y señores.

Vamos a tener música,
comida rica y una piñata.
Vamos a sacar fotos.

La piñata es como un sol.
Vamos a darle con un palo por turnos.
Van a caer dulces.

Luis recibió un oso, una pala y dinero.
Le dí el carro rojo.

¡Arco iris!

Té con tenedor. Nunca, nunca.
Salir y saltar. Lindo, lindo.

Isabel Gonzalález
ilustrado por Kersti Frigell

Música y risa. Oye, oye.
Huevo y yema. Come, come.

Oro y tesoro. Dinero, dinero.
Sol y Luna. Cielo, cielo.

Mar y arroyo. Gota, gota.
Estufa y escoba. Útil, útil.
Famoso y líder. Futuro, futuro.

Pelo y perfume. Bañar, bañar.
León y oso. Rugir, rugir.
Hola y mano. Saludar, saludar.

Mesa y mantel. Comer, comer.
Sala y sofá. Sentar, sentar.
Todo, todo. Tener, tener.

¿Qué pasa en mayo?

Una mañana en mayo, Sarita va
a venir con sus títeres monos.

Bartolo Ortega
ilustrado por Kersti Frigell

Una mañana en mayo, mis amigos
van a venir con regalos.

Una mañana en mayo, tres payasos
van a cantar en mi casa.

Una mañana en mayo, un león y
un oso van a comer en mi casa.

Una mañana en mayo, mis
abuelos van a visitarnos.

Una mañana en mayo, mis padres van a tener una fiesta para mi cumpleaños.

Maya y Michael

Esta mañana Maya y Michael
juegan al tenis.

Milagros Alonso
ilustrado por Meryl Henderson

En el terreno de tenis, el sol los
calienta. Les da sed y van al café.

Ordenan jugo de frutas y helado.
Una señorita les pone el jugo y el
helado en la mesa.

—¿Ay, qué hora es? ¿Vamos a casa ya?
—Sí, son las cinco de la tarde —contesta
Maya.

—Vamos a casa a estudiar y pintar
—dice Michael.

Pagan la cuenta y toman las raquetas.
Caminan a casa en el aire fresco.

La lora de Lin

—Dime mamá, ¿dónde está mi lora?
¡Voy a buscarla!

Isabel González
ilustrado por Kersti Frigell

Lin mira. La lora está en la única rama alta.
—¡Mamá! Ya vi la cola. Ya vi a mi lora linda.
Le voy a dar comida.

En la misma rama está el nido de
la lora con un bonito bebé loro.

Lin le da de comer a la lora y al bebé.

La mamá y el bebé comen. Los dos beben.

La lora y el bebé loro les dan
un beso a Lin y a su mamá.

Rosa, la bebé

Mañana, lunes, vamos a visitar a tía
Rosa y a ver a su bonita bebé.

Marcela B. Sklar
ilustrado por Meryl Henderson

Mis hermanas van a visitar
a la bebé, también.

A la bebé vamos a darle de
regalo una hermosa muñeca.

Los padres le van a poner
Rosa, como su mamá.

Yo le daré una rosa rosada y le daré un beso. Mis hermanas van a darle la muñeca.

Es lunes. Mi hermana saca unas fotos del bebé. El bebé ama a su muñeca.

Ser o no ser jamón

El jefe, su esposa, su hija, el joven
y John van a comer y a beber. El
mesero les da el menú.

Marcela B. Sklar
ilustrado por Kersti Frigell

John pide: —Todos vamos a comer
jamón. La hija del jefe: —Yo, jamón
con lechuga y tomate.

El joven: —Yo, no. Jamón con
tomate, pero sin lechuga.

La señora del jefe: —Jamón con piña
y limón, por favor.
El jefe: —Para mí, jamón con
lechuga y piña, pero sin limón.

John: —No, yo jamón con melón y limón.

El mesero: —Pero señora, señorita, señores, joven; ¡Ojo! ¡No hay jamón!

El jabón rojo

El jabón rojo es caro. Es el jábon
especial de mamá.

Marcela B. Sklar
ilustrado por Meryl Henderson

La caja de jabón rojo tiene dibujos lindos.
Al joven Julito le gusta mirar los dibujos.

Al joven Julito le gusta usar el jabón rojo.

Al joven Julito le gusta oler el jabón rojo.

El joven Julito se bañó. Pero
¿Dónde está el jabón rojo?

Se acabó todo el jabón rojo. Todo el baño
está mojado. Julio va a jugar otra vez.
¿Qué va a decir Mamá?

Lechugas

De noche, el chófer del coche y el
muchacho van a buscar lechugas.

Marcela B. Sklar
ilustrado por Meryl Henderson

El chófer del coche y el muchacho van
a buscar lechugas en el mercado.

En el mercado el chófer y el muchacho
ven fruta, pero no lechugas.
¿Dónde hay lechugas?

El chófer y el muchacho ven mucho
animales, pero no lechugas.
¿Dónde hay lechugas?

El chófer y el muchacho toman el
coche a la montaña y ven papas y
tomates. ¿Dónde hay lechugas?

El chófer del choche y el muchacho
ven las lechugas.
¡Aquí hay las lechugas!

Canta... canta... canta...

En la casa, a las ocho de la noche, el joven canta.

Marcela B. Sklar
ilustrado por Kersti Frigell

En el techo, a las ocho de
la noche, un loro canta.

En el baño, a las ocho de la
noche, la mamá canta.

En la entrada de la casa, a las
ocho de la noche, el papá canta.

El papá, la mamá, el muchacho y el loro,
a las ocho de la noche, cantan.

Todo el año, a las ocho de la noche,
hay música en el techo y bajo el techo
de la casa.

Pollitos perdidos

Un caballo hermoso corre
por la orilla del mar.

Bartolo Ortega
ilustrado por Len Epstein

Oye un llanto tímido y halla un hoyo
en la arena.
Hay tres pollitos amarillos adentro
del hoyo.

—¿Qué pasa, pollitos?
—Llovía tanto que un arroyo nos llevó
desde nuestra casa hasta este hoyo.

—Los llevo a casa —dice el caballo.
Corre sobre la arena hasta el llano.

El caballo corre sobre el llano hasta la
montaña. La llama morena los lleva al otro
lado de la montaña.

Llegan a su calle y la gallina
llama a sus pollitos.

¿Adónde?

—¡Vamos al río, mamá! —dijo nené rana.
—No, no —contestó mamá rana. —Come
la lechuga.

Milagros Alonso
ilustrado por Len Epstein

—¡Vamos a la laguna, mamá! —dijo
nené rana.
—El camino es largo —contestó mamá rana.

—La laguna está arriba por una loma.
Toma la leche.

—¡Vamos al mar, mamá! —dijo nené rana.
—El mar está lleno de sal y arena.
—contestó mamá rana. —Come tú fruta.

—¡Vamos al río, mamá! —dijo nené
rana. —¿Has comido la lechuga, la leche
y la fruta? —contestó mamá rana.

—¡Sí! —dijo nené rana.
—¡Vamos al río! —contestó mamá rana.

La zorra fue al Zócalo

¿Dónde está Luz Zapata? No está en casa.

Bartolo Ortega
ilustrado por Déborah Colvin Borgo

Ella va a ir de compras en el Zócalo. Ella
ha invitado a sus amigas a tomar té.

En su cesta tiene zanahorias para un pastel.
En su zarpa tiene azucenas para la mesa.

Bate zanahorias con harina, leche, canela,
y azúcar. Hace un pastel rico.

Luz zurce su vestido. Es de seda
y es azul, el color de zafiros.

—¡Qué rico es el pastel!—dice
Señora Gómez.

—¡Qué bonitas son las flores!—
dicen Señoras Pérez y Martínez.
Luz Zapata sonríe.

Cosas bobas

Hoy pasan cosas bobas.

Milagros Alonso
ilustrado por Kersti Frigell   127

De mañana, Sara va a dormir.
¡Hoy pasan cosas bobas!

De tarde, Becky y Sara van a pasear y
comer helado. Becky no le gusta el helado
azul. ¡Hoy pasan cosas bobas!

Más tarde, de una rama alta se cayó
una hoja amarilla.
Sara y Becky la van a atar con un
hilo rojo. ¡Hoy pasan cosas bobas!

Esta noche, vamos a hacer volar los
zapatos. ¡Hoy pasan cosas bobas!

Mañana, no vamos a hacer
tantas cosas bobas.

¿Dónde está?

Hay algo difícil de encontrar,
dónde está la *w*.

Elizabeth González
ilustrado por Meryl Henderson

Si vamos a un pueblo
a pasear a caballo,
no vemos a la *w.*

Si vamos en coche
a la orilla del mar,
a la *w* no la vemos pasar.

Si vamos a la tienda
Para comprar juguetes,
la *w* no se vende.

Pero si eres Wanda, Walter o Waldo,
te gustan los westerns.

¡Sí, sabes dónde está la *w*!

¡Todo barato!

La señora Zapata va en coche al mercado.

Milagros Alonso
ilustrado por Kersti Frigell

Una señorita le vende una libra de
yoyos y un helado.
Ella le vende un burro y un caballo.

Un muchacho le vende un gato
de juguete y una jaula.
Él le vende una llave y una isla.

Una joven le vende un zapato para zurcir.
Ella le vende una silla sin patas y un
barco sin vela.

El chico le vende un vaso, la luna, y el sol.

La señora Zapata lleva todo al coche.
Pero...paga con dinero falso.

Un éxito para Xavier

—Xavier, toca su xilófono mas
fuerte, por favor.—dice el maestro.
Y lo toca muy dulce.

Bartolo Ortega
ilustrado por Meryl Henderson

Xavier es un experto en el
xilófono. Practica mucho.

—El concierto está mañana—dice el
maestro. Xavier invita a toda la familia.

La música es excelente.
Toda la gente le gusta.

Xavier tiene un solo en su xilófono.
Toca muy dulce y fuerte.

—El concierto es un éxito.—dice el maestro.
—Somos orgullosos de Xavier.—dicen sus
padres.

Book 1 Mi gato
Challenging Words
contesta/answers
saluda/greets
Victor/Proper name
Non-decodable Words
arriba/on
hay/there is; there are
y/and
yo/I

Book 2 Danny
Challenging Words
amigo/friend
camina/walks
caminar/to walk
camino/I walk
música/music
salida/outing
verano/summer
Non-decodable Words
Danny/Proper name
oír/to hear
pasear/to stroll
pero/but
veo/I see
yo/I

Book 3 Personas favoritas
Challenging Words
favorita/favorite
mercado/market
música/music
persona/person
Non-decodable Words
bien/well
jugar/to play
oír/to hear
río/river

Book 4 Mili
Challenging Words
amigos/friends
enorme/enormous
fiesta/party
invita/she invites
paredes/walls
ponerse/to put on
regalos/presents
verano/summer
vestido/dress
visita/visit
Non-decodable Words
fiesta/party
tío/uncle

Book 5 **La carta**
Challenging Words
amigo/friend
entrada/entrance
helado/cold
hermano/brother
hermoso/beautiful
maleta/suitcase
saludan/they greet
saludar/to greet
Non-decodable Words
Amy/Proper name
barcos/boats
hay/there is; there are
mañana/morning
y/and

Book 6 **Me gusta, no me gusta**
Challenging Words
helado/ice cream
hermano/brother
música/music
personas/people
terrenos/lands
Non-decodable Words
(a) veces/sometimes
barbacoa/barbecue
fruta/fruit
oír/to hear
río/river
ruidosa/loud
y/and

Book 7 **Pinturas de animales**

Challenging Words

animales/animals
burrito/burro
camina/it walks
cariñoso/loving
helado/cold
mañana/morning
montaña/mountain
moreno/brown
saluta/ it greets

Non-decodable Words

león/lion
y/and

Book 8 **Año con año**

Challenging Words

comida/food
dinero/money
hermano/brother
mañana/tomorrow
música/music
piñata/piñata

Non-decodable Words

caer/to fall
dulces/candies
Luis/proper name
recibió/(he) received
y/and

Book 9 **¡Arco iris!**

Challenging Words

aprender/to learn
arroyo/river
dinero/money
escoba/broom
estufa/heater
famoso/famous
música/music
perfume/perfume
saludar/to greet
tenedor/fork
tesoro/treasure

Non-decodable Words

bañar/to bathe
cielo/sky
huevo/egg
léon/lion
rugir/to roar

153

Book 10 **¿Qué pasa en mayo?**
Challenging Words
amigos/friends
mañana/morning
payasos/clowns
regalos/presents
Sarita/proper name
títeres/puppets
visitarnos/to visit us
Non-decodable Words
abuelos/grandparents
cumpleaños/birthday
fiesta/perty
léon/lion
tres/three

Book 11 **Maya y Michael**
Challenging Words
caminan/they walk
comida/food
contesta/she answers
helado/ice cream
mañana/morning
ordenan/they order
pintar/to paint
señorita/young woman
Non-decodable Words
aire/air
cinco/five
estudiar/to study
frasco/fresh
frutas/fruit
juegan/they play
jugo/juice
Michael/proper name
qué/what
raquetas/raquets

Book 12 **La lora de Lin**
Challenging Words
beben/they drink
bonito/beautiful
buscar/to look for
comida/food

Book 13 **Rosa, la bebé**
Challenging Words
bonita/beautiful
hermanas/sisters
hermosa/beautiful
mañana/tomorrow
muñeca/doll
regalo/present
rosada/pink
visitar/to visit
Non-decodable Words
también/also
tía/aunt

Book 14 **Ser o no ser jamón**
Challenging Words
esposa/wife
John/Proper name
joven/young man
mesero/wiater
señora/lady
señoras/gentleman
seõrita/young lady
tomate/tomato
Non-decodable Words
lechugas/lettuce

Book 15 **El jabón rojo**
Challenging Words
(se) acabó/(it) is finished
dibujos/drawings
Julito/Proper name
mojado/wet
Non-decodable Words
(otra) vez/another time
decir/to say
especial/special
qué/what
tiene/has

Book 16 **Lechugas**
Challenging Words
animales/animals
lechugas/lettuce
mercado/market
montaña/mountain
muchacho/young man
tomates/tomatos
Non-decodable Words
aquí/here
fruta/fruit

Book 17
Canta...canta...canta
Challenging Words
entrada/entrance
muchacho/young man
música/music

Book 18 **Pollitos perdidos**
Challenging Words
adentro/inside
amarillos/yellow
arena/sand
arroyo/river
caballo/horse
gallina/hen
hermoso/beautiful
montaña/mountain
morena/brown
orilla/edge
pollitos/chicks
tímido/timid
Non-decodable Words
dice/says
nuestra/our
qué (pasa)/what (is happening)
que/that

Book 19 **¿Adónde?**
Challenging Words
arena/sand
arriba/up
camino/path; road
contestó/she answered
laguna/pond
lechuga/lettuce
Non-decodable Words
fruta/fruit
río/river

Book 20 **La zorra fue al Zócalo**

Challenging Words
amigas/friends
azúcar/sugar
bonitas/beautiful
harina/flour
invitado/invited
Martínez/Proper name
señora/lady
señoras/ladies
vestido/dress
zafiros/sapphires
Zapata/Proper name
Zócalo/Zócalo (market)

Non-decodable Words
azucenas/lillies
canela/cinnamon
cesta/basket
dice/she says
dicen/they say
hace/she makes
qué/how
sonríe/she smiles
tiene/she has
zanahorias/carrots

Book 21 **Cosas bobas**

Challenging Words
amarilla/yellow
Becky/Proper name
bobas/silly
dormir/to sleep
helado/ice cream
hoja/leaf
mañana/morning
zapatos/shoes

Non-decodable Words
hacer/to make
pasear/to take a walk

Book 22 **¿Dónde está?**

Challenging Words
caballo/horse
encontrar/to find
orilla/edge
Waldo/Proper name
Walter/Proper name
Wanda/Proper name
westerns/western movies

Non-decodable Words
juguetes/toys
pasear/to ride
pueblo/village
tienda/store

Book 23 **¡Todo Barato!**
Challenging Words
caballo/horse
chico/boy
dinero/money
helado/ice cream
llave/key
mercado/market
muchacho/young man
señora/lady
señorita/young woman
silla/chair
Zapata/Proper name
zapata/shoe
Non-decodable Words
jaula/cage
juguete/toy
zurcir/to mend

Book 24 **Un éxito para Xavier**
Challenging Words
éxito/success
experto/expert
invita/he invites
mañana/tomorrow
música/music
orgullosos/proud
xilófono/xylophone
Non-decodable Words
concierto/concert
dice/she says
dicen/they say
dulce/sweet
excelente/excellent
familia/family
fuerte/loud
gente/people
maestra/teacher
practica/he practices
tiene/he has
Xavier/Proper name